AMSER AMHERFFAITH

AMSER AMHERFFAITH

EMYR LEWIS

Argraffiad cyntaf: Gorffennaf 2004

Rhif Llyfr Safonol Rhyngwladol: 0-86381-942-7

Cynllun clawr: Sian Parri
Llun clawr: Golygfa o ddociau Caerdydd, Ferdinand Cirel

Argraffwyd a chyhoeddwyd gan Wasg Carreg Gwalch,
12 Iard yr Orsaf, Llanrwst, Dyffryn Conwy, LL26 0EH.
Ffôn: 01492 642031
Ffacs: 01492 641502
e-bost: llyfrau@carreg-gwalch.co.uk
lle ar y we: www.carreg-gwalch.co.uk

Ymddangosodd rhai o'r cerddi hyn yn
Barddas, Taliesin, Y Tyst, Y Faner Newydd
ar www.cynghanedd.com
ac yn www.sycharth.com

i Angharad

CYNNWYS

Nid yw Adar yn Aros

Nid yw adar yn aros
yn strydoedd dinasoedd nos;
rhy drwm yw awyr y dre',
rhy berig, nes daw'r bore.

Welwch chi ddim o'u cilio'n
hanner-troi, un ar y tro,
o'r sgwâr am rywle arall:
lle dedwydd, lle cudd, lle call....

nes daw'n nos sydyn, a hi'n
awyr wag yn llawn rhegi,
golau coch, ac oglau car,
a gwaed; ond gwag o adar.

Caerdydd

Wrth hyd a lled y gwledydd,
acer o dir yw Caerdydd,
ond mae hi'n gread i mi:
y tyrau a'r cwteri,
y coed a'r tarmacadam,
yr arcêds a'r llwybrau cam.

Cerddaf yn araf drwy hon:
un wyf, a hithau'n afon,
ymlaen, a Chymraeg fy mloedd
ymhlith ei hamal ieithoedd
fel ton yng nghythrwfl Taf.
Y mae dinas amdanaf.

Maesu

Mae'n Fehefin drwy'r ddinas,
noswaith olau, lawntiau'n las,
a'r coed o gylch Parc y Waun
yn ddiog, fel hen dduwiau'n
cael sgap ar fois y capel
ar eu patsh yn chwarae pêl.

Mwynhad heb amen ydyw
mwynhau dy hun er mwyn Duw
a roes helyg mor solat
cyfiawnder yn bŵer bat,
y llain yn ganol llonydd
a phads yn warchodwyr ffydd.

Cadw defod cofnod co'
yn sgwariau'r llyfr sgorio,
pob pelawd ers degawdau;
cadw ar brint gricedwyr brau,
arwyr ffydd, ufudd i air
penigamp unig *Umpire*.

Ar ffin y bowndari'n bell
o'r llain, y coed yw'r llinell
rhwng hedd gwynfyd byd y bêl
a sŵn y ddinas anwel,
lle iawn i freuddwydiwr llwyd
fwrw'i wreiddiau a'i freuddwyd;

y boi sy'n gollwng y bêl,
a yrrwyd tua'r gorwel,
sy'n gweld merched yn rhedeg
yn ystwyth fel tylwyth teg
drwy strydoedd dinas glasoed
a lampau'n cynnau drwy'r coed.

Sacs

Un diwrnod fel Sadyrnau
hen-ffasiwn pan oeddwn iau,
â'r haul yn serio'r hewlydd,
yn gyrru'i dân drwy Gaerdydd,
a hi'n brynhawn berw'n hwyr,
seiniodd ar gyrion synnwyr
alaw sacs; anadl o sŵn
cynnil fel llais ci Annwn,
fel neidr fêl o nodau
yn llithro, gwingo a gwau;
rhwygo triog tew'r awyr
yn llafn tawel dirgel dur
o chwant hyd y palmant poeth
drywanai frys di-drannoeth
y ddinas; trwy balasau
yr arcêds ar amser cau
heb ei weld, fel dewin bu
y miwsig yn tresmasu,
a sleifio'n flŵs hylifol
dan ddrysau'r banciau, heb ôl
o'i alaw fain cŵl a fu
fel enaid cyn diflannu,
ond nwyon blin y ddinas
am ein sodlau'n glymau glas
yn darnio'r holl Sadyrnau
hen-ffasiwn pan oeddwn iau.

Fore Hydref Oer Rywdro

Fore hydref oer rywdro,
a dau rith yn mynd am dro
ag oglau barrug eglur
yn eu pen fel trydan pur.
Dail crin yw llwybrau'r ddinas,
gwawr haul oer ac awyr las.

Camu tawel nas gwelwn
heibio'r banciau cau a'r cŵn,
y bariau cul briciau coch
â'u seti agos-atoch
yn wag heb nac adar nos
na swynwyr y casinos.

Mae'n oer, a'u camau'n araf;
yn eu sgwrs mae osgo haf
heb orffen, yn rhy berffaith
i'w gweld ar ein ffordd i'r gwaith
heb gofio, un tro, mewn tref
ddiniweidrwydd ein hydref.

Eira

Daw y gwynt fel bidog iâ
ag arogl miniog eira
ar fin yr hwyr o'r dwyrain,
â'r dref fel ar bigau'r drain
yn disgwyl trawiad ysgafn
cyntaf a llymaf y llafn;

disgwyl a disgwyl dan
awyr lwyd sy'n rhy lydan
rhy lwyd am rai eiliadau,
nes daw'r nos â'i dwrn i hau'n
ara' deg yr hadau iâ
a hedd cynddaredd eira.

Rhyddid

I

Tician mae amser ar y silff ben tân,
mewn capeli gwag a pheiriannau ffôn:
amser digidol yn glinigol lân.

Mae amser arall allan ar y lôn,
rhwng lampau budron ar gorneli stryd
ac anadliadau diog sacsoffôn;

amser a blethwyd i gilfachau mud
fel llythyr caru ym mhocedi'r sêr,
fel llythyr twrne ym mhocedi'r byd;

amser â'i gwantwm yn guriadau blêr
calonnau heb eu cydamseru'n dwt:
synchro-mesh yn crensian wrth newid gêr.

Ac yn yr amser hwnnw y mae pwt
o hanes enaid pawb, ac ambell gân
neu alwad ffôn, a phader bach ffwr-bwt.

II

Estyn dy law
i deimlo'r bore'n
boenus o agos
fel atgof blas,
a disgwyl am wyrth
y twymo araf
sy'n troi y tarmac
yn heol gras.

Estyn y llall
yn gymar iddi
lle nad oes gweddi
ond awyr wag
yn loyw i gyd,
a'r haul ar godi
drwy sŵn moduron
ac oglau brag.

Estyn y ddwy'n
gyfeillgar allan
i'r colomennod
ac adar y to;
ond cofia roi sws
ta-ta bach ffyrnig
i'r nos sy'n 'madael
â'r byd, dros dro.

III

Hon yw dinas y pethau coll
ddaliwyd yn y bwlch rhwng pnawn Dydd Sul
a gweddill amser; pethau y bu stamp
eneidiau arnynt unwaith; nawr ar goll.

Mewn cwteri, o dan bontydd trên,
ym morderi'r parciau'n llechu'n saff
o afael atgof ac arwyddocâd,
ffotograffau pasport, menyg chwith,

poteli whisgi hanner-gwag o wlith,
allweddi cartref, arian mân; â'r baw
sy'n lluwchio pan ddaw'r gwynt yn nyddiau'r cŵn
yn bwrw arnynt am yn ail â'r glaw.

Heb eu claddu, heb eu marwnadu'n iawn:
nid oes defodau cymwys i bethau coll,
dim ond bytheirio byr o dro i dro
cyn ymryddhau, a'u gollwng nhw dros go'.

IV

Oni ddown i'r Waun Ddyfal
yn dawel, â'n dwylo ar led,
i glustfeinio gweddïau,
i wrando cyffesion cred
ceidwaid ei siopau cornel,
ffyddloniaid y *Flora* a'r *Crwys*;
oni ddown i'r Waun Ddyfal felly,
nid ŷm gymwys.

Oni ddown i'r Waun Ddyfal
a garwn, pan fydd y gwlith
ar doeau'r ceir yn belenni,
i wylio ei hadar brith
a'i hen wragedd sy'n rhegi
ei gilydd wrth groesi'r lôn;
oni ddown i'r Waun Ddyfal felly,
nid yw'n ddigon.

Oni ddown i'r Waun Ddyfal
i ddawnsio, a hithau'n boeth,
a llwch cyfarwydd ei phalmant
yn gras dan ein gwadnau noeth,
i blith ei mil fforddolion,
yn rhith mewn ffenestri llwyd;
oni ddown i'r Waun Ddyfal felly
yn ein breuddwyd?

V

Rhaid peidio dawnsio yng Nghaerdydd
rhwng wyth a deg y bore:
mae camerâu yr Heddlu Cudd
a'r Cyngor am y gore
yn edrych mas i weld pwy sydd
yn beiddio torri'r rheol
na chaiff neb ddawnsio yng Nghaerdydd
ar stryd na pharc na heol.

Mae dawnsio wedi deg o'r gloch
yn weithred a gyfyngir
i gwarter awr mewn 'sgidiau coch
mewn mannau lle'r hebryngir
y dawnswyr iddynt foch ym moch,
heb oddef stranc na neidio,
ac erbyn un-ar-ddeg o'r gloch
rhaid i bob dawnsio beidio.

Ond ambell Chwefror ar ddydd Iau,
pan fydd y niwl a'r barrug
yn fwgwd am y camerâu
fel bo'r swyddogion sarrug
yn swatio'n gynnes yn eu ffau
gan ddal diodydd poethion,
mae'r stryd yn llawn o naw tan ddau
o ddawns y sodlau noethion.

VI

Nid oes chwyn
yn tyfu byth
ar balmentydd
y brifddinas,
lle y chwyth
gwynt mynwentydd

drwy brysurdeb
dyddiau gwaith
a'u defodau;
nid oes amser
cofio iaith
hen adnodau.

Ond mi wn
pan ddeui di'n
droednoeth heno,
yn ein hamser
ataf i,
pan orffenno

heddiw arall
a chybôl
ei brysuro,
bydd y palmant
ar dy ôl
yn blaguro.

VII

Nid oes cleddyf rhyngof a f'anwylyd,
cerddwn ar hyd coridorau cwsg
law yn llaw neu forddwyd llyfn ym morddwyd,
cyd-brydleswyr palas ein breuddwydion,

Weithiau'n eryrod, weithiau'n dylluanod,
hedwn ar adain ara' deg ymysg
siandelîrs ein plantos a'n hynafiaid
(glaw yn cledro'r gwydr oddi allan).

Cysgu mae amser, effro yw ein cariad,
cyd-ddawnsiwn yn gymesur yn ein masg:
cariadon ifanc yn gariadon henoed,
am byth yn Golwmbein a Harlecwin.

VIII

Yn yr amser amherffaith y caniateir
i ni freuddwydio ynddo, mewn seibiannau
rhwng ufuddhau i'r tician digyfaddawd,
pan fydd y sêr i'w gweld, a'r holl fydysawd
yn canu'i delynegion i ni'n dau,
yn nhywyllwch canhwyllau, yn sŵn ceir,
mae'r nos yn cau.

Am nad yw arad dychymyg yn troi'r stryd
yn fraenar cyfiaith lle cawn ni weddïo,
am nad yw'n codi'r trugareddau gollwyd
heb eu marwnadu'n iawn, am na all breuddwyd
drwsio egwyddor clociau, am y tro
yn salem ein noswylio, dyna glyd
yw byw dan glo.

Yma mae ein cyfaddawd, ein hamser cain,
rhwng diniweidrwydd rhemp ein caru cyntaf
a'r llwch anadlwyd gennym ers blynyddoedd
yn llundain-ddoeth, yn gyfrwys fel dinasoedd.
Rhyngddynt, a rhwng y coed ar lannau Taf
noswyliwn mewn dawns olaf yn sŵn brain,
ryw noson braf.

Mis Medi

Ger cloddiau lle bu blodau'n bla, – wylad
   eu dadfeilio ara'
  wna rhai, gan farwnadu'r ha':
  mae eraill yn mwyara.

Brain Mis Rhagfyr

Yr oerfel yn datgelu'r – hen nythod
   Yn noeth ac yn eglur;
  Awel yn fain, golau'n fyr,
  Yn rhegfa brain Mis Rhagfyr.

Gwely gyda'n gilydd

Pwy a ŵyr pa synnwyr sydd – i'n siarad
   a'n prysuro beunydd
  heb fymryn o derfyn dydd
  a gwely gyda'n gilydd?

Enaid Enlli

(I Llio Rhydderch)

Trowch yn wylaidd
ac edrych yn ôl
o don i don
nes dod at y tir,
a chodi eich llygaid
i ben Uwchmynydd,
lle safoch i syllu
ac Enlli'n glir.

Ystyriwch droeon
eich llwybr yno
dros ffos a chamfa
drwy gors a rhyd,
cyn bwrw i'r môr
o Borth y Meudwy,
a bwrw ymaith
bechodau'r byd.

Yn bererinion
ar ben eich taith,
cymerwch y bara
a'r gwin i'ch ceg,
a chofiwch am Glynnog
a Llangwnnadl,
gan dynnu anadl
yn ara' deg,

cyn cychwyn adra
pan ddaw hi'n bryd,
â'ch traed yn dawnsio
yn fawr eich braint,
bob cam o'r ffordd
i delyn Llio,
a hidiwch befo
nad ydych yn saint.

2001

Â dwy fil o adfeilion - o'n holau
    wrthi'n hel ysbrydion,
    mentrwn, yn chwithig ddigon,
    i'r neuadd hir, newydd, hon.

Sut a Pham

Â nhw'n llawn bywyd newydd – dywed sut
    fod saint yn ddihenydd?
    a pham bod selogion ffydd
    â rhyfel lond eu crefydd?

Pedwar-ugain Mlynedd
wedi'r Cadoediad

Nid oes ond tamed o wynt - yn anadl
    drwy wenith lle'r oeddynt
    wedi'u gyrru, gyrru, gynt
    i chwarae, gyda chorwynt.

Gwanwyn 2003

Mae eithin Cwm Cerdinen – eleni'n
    felynach dan heulwen
    gwanwyn rhy gynnar ei wên,
    a diawl ym mhig pob deilen.

Dan Ddylanwad

Dros orwel mud alltudiaeth,
trwy ddyddiau Sul, treiddiodd saeth
America'n ymyrraeth:

y blas hallt mewn blŵs alltud
yn drwm ar gorneli stryd,
a thrên yn rhuthro o hyd;

bariau llawn yn berllannau
o gariad a phrofiadau
i'w hwylio-dweud, fesul dau,

America'r dim aros,
y rhegi a'r ceir agos,
sawr dur yn awyr y nos.

Dilyn o hyd lôn na all
ddod i ben; cyrraedd di-ball;
America. Dim arall.

Ond heno mae saib tyner
a dawns hil o dan y sêr
yn rhwydo bwystfil pryder.

Yma'n awr mae un a wêl
yn y tywod lun tawel
ei wlad, ei gariad; gorwel.

Sych-lanhau

Onid wyf bob edefyn – yn lanach
    na glân heb faw Cymru'n
    fy staenio, eto er hyn
    y mae'r iaith yn fy mrethyn.

Cywirdeb

Di-eiriau o bryderus wyf weithiau
    fod fy iaith fyrlymus
    hwyliog ac afreolus
    yn ildio i bwyntio bys.

Dau englyn i ddycnwch Gwent

Cadw ffin rhag drycinoedd y dwyrain
    yn daer mae'r dyffrynnoedd,
    ac mae'r blaenau'n codi bloedd:
    hedd Gwent yn nannedd gwyntoedd.

Ar y ffin â'r gorffennol, ar y ffin,
    daw'r ffenics yn wyrthiol
    o'i thân yn iach, a'r iaith 'nôl
    ar adenydd syfrdanol.

Bunifaziu

Cychod, a thoeau cochion – a hwyliau
    ymwelwyr yn wynion
    yn yr haul: mae heddwch, bron,
    ar y dŵr di-frodorion.

Cyfrifiad 2001

Pa rif ydi rhif ein parhau – ymhlith
    amlhad ystadegau?
    Nid sawl deng mil, ond sawl dau:
    rhieni, nid canrannau.

Mae un

Mae un lle bu cymuned, – dilëwyd
    chwedleua a baled;
    nid yw ymson cyn sionced:
    mynd yn llai mae'n hyd a'n lled.

Llundain 1792

Ffyrniced yw'r gwynt ar Dafwys, y gwynt mawr perig,
sy'n gyrru o'i flaen frawdgarwch ac ymryddhad
yn alaw o Ffrainc, yn eiriau brwd o'r Amerig,
yn gynnwrf melys, yn gyffro sibrydion brad;
ac er distawed yr awel, mor anweledig,
yn Lambeth dyner, eto mae'r corwynt brith
yn cyrraedd y Proffwyd Gwyllt ar hyd strydoedd siartredig
nes priodi Nefoedd ac Uffern yn un rhith;
mae'n cyrraedd y Twyllwr Talog ar Fryn y Briallu
uwch Parc y Brenin, ac uwch na'r palasau i gyd,
sy'n hawlio yn ôl i'r werin y grym a'r gallu
yn wyneb haul llygad goleuni'r byd;
ffyrniced, cyn chwythu ei blwc a'u gadael dro,
y naill yn ei Ddinas Sanctaidd, y llall yn ei Fro.

Cardiau 'Dolig

Mae'n oer, ond mae 'na eiriau sy'n gynnes,
    Yn gân, ac mae'r cardiau
    Fel llu nef, â'u llawenhau'n
    Tywynnu o'n pentanau.

Nadolig 2002

Yr awyr wedi rhewi - yn llonydd,
    yn llawn parlys drwyddi
    liw nos, tra disgwyliwn ni
    eira gwyn mawr y geni.

Rhywle sŵn carolau

Oerfel fel tynnu nerfau o ddannedd,
    ewinedd fel fflamau,
    eira a gwynt, drws ar gau
    a, rhywle, sŵn carolau.

Wrth Sgwennu Englyn Cerdyn 'Dolig
(er cof am Arfon)

Y 'Dolig hwn cynheuwn ni gannwyll,
    un gynnil ei llosgi,
    a chawn weld, o'i chynnau hi,
    dylanwad ei oleuni.

Simeon 2000

Yn gyfiawn a duwiol
o Sul i Sul
i ofod eang
y Tabernaclau,
i seti cyfyng
Taborau cul
y dônt i ddisgwyl
fel daeth eu tadau,

disgwyl diddanwch
syml y sant:
cael gweld, o'r newydd,
orchfygwr angau
yn dod i'r deml
yn nrama'r plant,
gogoniant Israel
mewn cadachau,

yn ffyddiog bod, rhywle,
yn hyn o fyd
oleuni cenhedloedd,
a bod trugaredd
am fod, weithiau,
eu Harglwydd, o hyd
yn gollwng ei weision
mewn tangnefedd.

Dau dymor capel gwag

Lle bu gras Duw yn asio - nid oes mwy
        ond simént yn breuo'n
    orffennol, dan sgriffinio
    di-dostur ei Ragfyr o.

Llwch yn yr haul, llechi'n rhydd – a'r drysau
        ar gau yn dragywydd:
    ac eiddew'n fywyd newydd
    ar furiau ffosiliau ffydd.

Cwestiwn

Os torra llafn swta'r lli – a'n bwrw'n
        sborions, heb dosturi
    i'r llawr noeth; os dryllir ni
    a oes saer i'n trysori?

Capel Degwel

Er torri holl wychder Tiron – a'r cof
    a'r cyfoeth yn deilchion,
    ni raid wrth ysblander hon:
    Capel Degwel yw'n digon.

Weithiau

Rwy' weithiau, er pob dadrithiad, rywfodd
    yn profi cyffyrddiad
    rhywun yn siglo'r cread
    yn fwyn iawn, fel llaw fy nhad.

"This great absence that is like a presence"

Ildio i'r absenoldeb a wna pawb,
    fel pos heb ei ateb
    yn iawn; ys gwn i wnaeth Neb
    ildio i'w bresenoldeb?

Adnod

Er i'r amau mawr grymus – daro'i ffon
    drwy'r ffenest liw, erys,
    yn gysur anghysurus,
    darn main o wydr yn 'y mys.

Pethau trwm

Dim ond y pethau
trwm sy'n aros
i orffwys yn drwsgwl
lle nad oes llaw
nac anadlu llaith
i'w gweld ben bore'n
barod i herian
rhywbeth ddaw.

Dim ond y gorffwys
trwm di-gromlech,
y treiglo araf
dan wynt y de
yn faw a llwch
di-atgyfodiad,
yn wir sy'n aros,
yn fan a lle.

A dim ond geiriau
lle bu gorwel
i bwyntio ato,
lle gwawriai'r gwir
frwydrau yn ôl,
cyn i ni golli'r
cof am ddwylo
yn troi y tir.

Brain Llwyn Domen

Pan fydd y brain
yn hedfan heno
o goed Llwyn Domen
draw am y dre,
i gyd yn ffraeo
i'r un cyfeiriad
i yfed yn rhywle,
'does wybod lle,

fe glywn ni sŵn
ein cymdogion diarth,
ac edrych i fyny
gan godi llaw,
gan wybod y bydd
y brigau'n weigion
ar goed Llwyn Domen
tan wedi naw,

pryd y daw'r brain
yn feddw eto
i goed Llwyn Domen
yn ôl o'r dre,
i lenwi'r brigau
a ffraeo'n gysurus
nes clwydo'n fud
yn eu priod le.

Dewch at y Tywod

(Arfer trefedigaethwyr erioed yw cadw iddynt eu hunain y tiroedd braf ger glan y môr, a "throsglwyddo'r" tiroedd gwyllt "yn ôl" i'r brodorion.)

1. Penrhyn Gŵyr

Dewch at y tywod yn ara' deg,
O'r cestyll caled a'r ffermydd bras
At draeth Rhosili, cyn rhedeg ras
Yn wyllt drwy'r tonnau, a golchi blas
Pob chwedl, pob stori, pob iaith o'ch ceg:

Ar Benrhyn Gŵyr ar ddydd o haf
Mae tonnau braf i'w nofio
A hufen iâ a chreigiau gwych
A thywod sych i'w rofio.
Mae'n ddigon braf ar Benrhyn Gŵyr
I mi gael llwyr anghofio.

Ewch adre' o'r tywod hyd hewlydd cul
Sy'n taflu'u gwres ac yn ffrwydro'n ffaith,
Fod fory, gyfeillion, yn ddiwrnod gwaith;
A chwyswch am adref erbyn saith
A chwsg anesmwyth, effro Nos Sul.

2. Abertawe

Er i William de Breos ddadlau taw fe
Oedd perchennog pob modfedd, o draethau'r de
Hyd Fynydd y Baran, hip hip hwrê!
Gyrrodd Edward y Cyntaf ei farnwyr i'r dre',
I farnu mai yntau oedd biau'r lle,
A byth ers hynny, mae perthynas gre'
Wedi bod rhwng y brenin a phobol y lle,
Ac mae'r Jacs yn gwybod yn iawn be' 'di be'
Pan ddaw hi'n fater o o wybod eu lle,

Lle sy'n ddigon hyll, ac yn ddigon hardd
I wneud bardd o feddwyn, a meddwyn o fardd.

3. Môr a mynydd
(er cof am Dafydd Rowlands)

Ni welwch oddi yma
mo'r Filltir Fain,
na Mynydd y Gwair
na'r Baran chwaith;
ni chlywch mo'r gweddïau
na'r crawcian brain
wrth ganolbwyntio
ar wneud eich gwaith.

Ond o Fynydd y Gwair
gallwch weld yn net
lle bu Sobers yn clatsio'r
peli i'r môr,
gallwch dynnu'n feddylgar
ar sigarét,
a gwenu'n dawel,
gan wybod y sgôr.

4. Baglan

Roedd Ieuan Gethin ab Ieuan ap Lleision
yn hael wrth ei gŵn ac yn hael wrth ei weision,
yn byw mewn steil o ryw fath, mae'n siŵr,
yn Arglwydd Baglan, yn ymyl y dŵr;

ac yn y fan yma, lle cadwai ei lys,
byddai Ieuan a'i bartner, Sion Gwyn ap Rhys,
rhwng cynganeddu a thynnu coes,
yn sôn am wleidyddiaeth grym yr oes,

sibrwd am Siaspar a Harri Tudur
(wrth i'r gweision glirio eu llestri budur)
a sut byddai'r rheini yn drech na'r Saeson.
Ieuan Gethin ab Ieuan ap Lleision.

5. Porthcawl I

O Flaen Garw,
o Flaen Rhondda,
o Flaen Gwynfi,
o Gilfach Goch,
ar hyd hewlydd
cul fel crefydd
dewch i ddawnsio
foch ym moch.

O ben draw
y Blaenau eithaf
y tiroedd roddwyd
i ni'n ôl,
dewch a chyfri
eich bendithion
yn gariadon
roc 'n rôl.

6. Porthcawl II

Sawl Amen, sawl Baner Goch
ganwyd yma?
Sawl *Internationale* groch?
Sawl Haleliwia?
Pa sawl dwrn a pha sawl llais
gadd eu codi'n
her i Satan ac i drais
trefn y meistri?

Lle mae'r egwyddorion mawr
a'r caneuon?
Lle ma' fe Dai Francis nawr
a Paul Robeson?
Lle mae lleisiau llawn y côr
a'r areithio?
Trowch ac edrych ar y môr
gan glustfeinio........

y môr oer a di-Gymraeg
y môr oer a di-Gymraeg
y môr oer a di-Gymraeg;

a'r tir yn dod
yn dywod
yn ara' deg.

Aberglasne

Beth yw natur heb furiau,
a'r gwyllt heb forder i'w gau?
Pa ryw ryddid oedd priddio
meini a gerddi dros go';
rhoi baw anghofio ar ben
y gwaith fu yn Llangathen?

Lle canai Lewys, distaw
ydy' Aberglasne'r glaw,
â'r naw gardd yn sarn i gyd,
aneglur a mwsoglyd;
dan ddinad yn ddienw
a neb yn eu cerdded nhw.

Cof byr yw ein natur ni.
Mae amynedd mewn meini
i aros dan eu iorwg,
dan glo, am ddwylo a ddwg
raw a chaib i glirio chwyn:
dwylo â greddf i'w dilyn -
rhoi enw'n ôl i dir neb,
rhoi enw a gwarineb.

Yn rhydd nawr y cerddwn ni
drwy Aberglasne'r glesni;
a rhwng meini gerddi gwâr
ymryddhau'r ŷm o'r ddaear.

Talu Gwrogaeth

Ni ddof gan ddwyn cleddyfau
na gwayw-ffyn i'w goffáu
dan falchder chwil baneri,
tarianau dreigiau di-ri,
gan ddilyn twrw mintai'n
garnau meirch ac utgyrn main.

Ni ddof gan honni cofio'n
ddi-dor am ei freuddwyd o
bob un dydd dwi'n byw. On'd aeth
ei gleddyf a'i arglwyddiaeth,
yn arafwch canrifoedd,
yn inc blêr, yn eco bloedd?

Ond, y chwe chanfed Medi,
a 'mhlant wrth fy ymyl i
â'u gwên yn Gymraeg i gyd,
y dof; a, siawns, daw hefyd
eto, rywdro, un o'r rhain
â chywydd bach i Owain.

Segurfyd yn Is-Gwyrfai

Nid oes sill yng Nghochwillan
Llanllechid, lle cenid cân,
nac awen gaeth, na gwin gwyn,
na geifr chwaith i'w gofyn,
na cheirw hir, na chrehyrod,
na lle i fardd call i fod;

ond ymysg gwenoliaid Mai
a'r awel hwyr chwaraea'i
glychau gog ar lan Ogwen
mae tai heirdd, a beirdd yn ben.
Mae heddiw'n byw fel buont
hawliau beirdd yn Nhalybont.

Enwogrwydd

....aridas frondes hiemis sodali
Dedicet Euro (Horas)

Roedd blodau, blodau o'i blaen,
a chôr, a bandiau'n chwarae'n
osgordd, a thyrfa'n gwasgu
a llygaid tanbaid bob tu'n
llowcio'i harddwch lle cerddai
â grym hardd blaguro Mai
drwy swae a chyffro'r bore,
drwy'r blodau, blodau, i b'le?

I'w nos, lle mae'n anwesu
un rhan fach o'r hyn a fu:
petalau crimp tawelwch
yn ei llaw yn troi yn llwch.

Ymddiddan â Dafydd Nanmor

A oes cân yn Is-Conwy
ym mis y gwenoliaid mwy?
A oes dail fel rhai 'stalwm
i droi y canghennau'n drwm?
Oes paill? Oes blodau meillion?
Oes clawdd hardd ers claddu hon?

    Oes, a sôn am flagur swil
    drwy'r fro'n egino'n gynnil.

O farw hon, pam bod y fro
yn dewis ail-flodeuo?

    Am mai'r rhaid ym marw hon
    yw rhaid yr holl gariadon
    o Wynedd hyd derfynau
    pella'r ddaear bob yn ddau
    sy'n meddwi'n eu cyfrinach,
    sy'n byw am gusanau bach;
    er eu mwyn y pery Mai
    i ddeilio, er na ddylai.

I gyfarch Betsan Llwyd

Gosodaist y Wisg Sidan – yn dyner
    amdanat yn hogan;
    o loes i loes ei chadw'n lân
    a'i rhwygo hi'n hen wreigan.

Ffosil

Nid oes ôl o'i fodolaeth – ond am hwn,
    dim ond meinwe'n haniaeth
    yng ngosteg y garreg gaeth.
    Aderyn mud yw hiraeth.

Wyneb

Naddu bu llafn fy nyddiau – yn gynnil,
    ond gwn y bydd yntau
    o hyn 'mlaen yn amlhau'n
    fileinig ei gerfluniau.

Ymson wrth geisio trwsio cloc

Mae amser yn fy herio – a'i was bach
    yn cael sbort o 'mhlagio:
    nid eiff ei funudau o
    rownd a rownd, er ei weindio.

Er Cof am Euryl Griffiths, Bryn-glas, Craig-cefn-parc

Cwm cul ydyw Cwm Clydach
â'i awyr yn fudur fach
pan fydd Tachwedd, fel heddiw'n
glawio nes llwydo pob lliw,
a'r coed yn cario codwm
gwythiennau'n cau hyd y cwm.

Awn yn y glaw o Fryn-glas
am mai hon yw'r gymwynas
olaf un i Euryl fach:
dilyn ei harch drwy'r deiliach;
a hewl wag yw Hewl Fagwr,
yn ddail o'n holau, yn ddŵr.

Pam glaw trwm yn y cwm cul?
Pam marw'r dail? Pam Euryl?
Tro garw yw'r trugaredd
mwya'n bod, a hi mewn bedd:
yr haul yn naear Elim.
Tachwedd yw diwedd pob dim.

Os oes nef (a synnwn i),
mae hi yno, mi wn-i'n
siarad a sipian sieri,

yn ei harddwch a'i hurddas,
yn mynnu gwneud cymwynas,
y golau haul o Fryn-glas.

Tase bysedd bach y rhew

Tase bysedd bach y rhew
yn cyffwrdd â'u hewinedd main
am eiliad yn y cocos mân
sy'n tician ar y silff-ben-tân
a fferru yr olwynion aur;
a tase'r oerfel sydyn hwn
yn mynd fel haint o gloc i gloc,
gan atal tip pob pendil trwm
a gafael yn y pwysau plwm
sy'n dirwyn y peiriannau dur
sy'n gyrru clociau mawr y byd;
yn rhewi'r electronau chwim
sy'n goglais y crisialau clir
sy'n siglo'r watsis bach i gyd;
nes bo pob oriawr a phob cloc
yn llonydd heb na thic na thoc
a llwch fel hadau dant-y-llew
yn disgyn lle bu'r bysedd rhew;
'sa'r flwyddyn nesa' ddim yn dod,
ond basa heno'n dal i fod.

DYSGU DEUD CELWYDD YN TSIEC

Dysgu Deud Celwydd yn Tsiec

Emyr Lewis

Argraffiad cyntaf: Gorffennaf 2004

ⓗ *y cerddi: Emyr Lewis*

Rhif Llyfr Safonol Rhyngwladol: 0-86381-942-7

Cynllun clawr: Sian Parri
Llun clawr: Pont Karel, Prâg. E. Weil

Argraffwyd a chyhoeddwyd gan Wasg Carreg Gwalch,
12 Iard yr Orsaf, Llanrwst, Dyffryn Conwy, LL26 0EH.
Ffôn: 01492 642031
Ffacs: 01492 641502
e-bost: llyfrau@carreg-gwalch.co.uk
lle ar y we: www.carreg-gwalch.co.uk

Ymddangosodd rhai o'r darnau hyn yn Taliesin *a* Barddas
ac ar *www.cynghanedd.com*

CYNNWYS

Dysgu Deud Celwydd yn Tsiec

Fues i erioed fawr o deithiwr barddol. Chefais i erioed y profiad o ddweud, gydag ochenaid flinedig, "Dwi newydd ddod 'nôl o ŵyl Affrogeltaidd Stornoway, a dwi ar fy ffordd i'r Galapagos i ddarllen fy ngwaith yn y symposiwm am grwbanod mewn llên felly, na, mae'n ddrwg gen i, fedra'i ddim dod i ddarllen fy ngwaith yn eich Festri Capel."

Ond mae pethau'n gwella.

Derbyniais e-bost fel bollt o'r awyr yn fy ngwahodd i fynd i'r Weriniaeth Tsiec i deithio. Dannie Abse (eglurwyd) oedden nhw isio'n wreiddiol, ond doedd o ddim ar gael.

Felly dyma benderfynu derbyn y gwahoddiad (wedi peth petruso). Un broblem: wyddwn i mo'r un gair o Tsiec. Diolch i Amazon.com, cyrhaeddodd *Colloquial Czech* gan James Naughton o fewn deuddydd, a dyna ddechrau arni.

Yr anhawster gydag unrhyw gwrs o'r fath ydy ei fod o'n dysgu drwy gyfrwng sgyrsiau. Wrth ddilyn y siaradwyr ar y tapiau, rwyt ti'n dysgu sut mae deud lot o bethau, ond 'does dim un ohonyn nhw'n wir.

Ymarfer da i unrhyw fardd teithiol, mi gredaf. Crwbanod mewn llên, wir.

Colloquial Czech ydy enw
y gyfrol sy'n cynnig y cwrs
sy'n llawn ymadroddion defnyddiol
os wyt am berffeithio dy sgwrs:
"Fy enw yw Rostislav Beneš.
'Rwy'n dyfod o Frýdek-Mistek.
Mae 'ngwraig i'n Americanes."
Dwi'n dysgu deud celwydd yn Tsiec.

"Bob nos rwy'n ymarfer pêl-foli.
Mae Milan Kundera'n ffrind.
'Sdim Comiwnydd yn y llywodraeth,
nawr fod yr holl Rwsiaid 'di mynd.
Mae slívovice'n help i mi gofio,
o'i lowcio fo lawr fesul clec.
Cwrw deuddeg sy'n dda i dy iechyd."
Dwi'n dysgu deud celwydd yn Tsiec.

"Hen ŵr wyf sy'n hoff o ysmygu.
Mae yngan čtvrt yn reit hawdd.
Mae Ostrava'n bentre' bach distaw.
'Sdim modd creu celfyddyd heb nawdd.
Caed gwared ar bob gwrth-semitiaeth.
Ddydd Llun wnes i bostio y siec.
Dwi 'di dioddef er mwyn fy marddoniaeth."
Dwi'n dysgu deud celwydd yn Tsiec.

"Mae'r trên yn ymadael yn brydlon.
Nid oes ar wleidyddion ofn gwaith.
Mae Academi'n llawn beirdd talentog,
heblaw'r rhai sy'n medru'r ddwy iaith.
Blinderus yw teithiau barddonol.
Nid fi a ollyngodd y gnec.
Roedd Kafka'n foi iawn oddi tanodd."
Dwi'n dysgu deud celwydd yn Tsiec.

"Jmenuju se Rostislas Beneš.
Hraju volejbal rád.
Moje žena je američanka.
Učím se česky lhát."

Dywedais anwiredd ym Mharis
ac ambell un bach yn yr Hâg,
ym Mosco, Berlin a Fienna,
ond dwi'n palu celwyddau ym Mhrâg.

Ynof

Y mae ynof bob munud
o boen ers dechrau y byd.

Y mae ynof bob menyw,
pob plentyn, pob dyn, pob duw,
pob chwedl, pob cenedl, pob cof:
mi wn fod pob dim ynof.

Ynof mae Marx a Lenin,
Che a Mao a Ho Chi Minh,
Thatcher a Galtieri,
Rasputin a Stalin, 'sti.

Ynof mae saith banana
a chennin a phwdin ffa.

Bu ynof, unwaith, bannas,
ond y maent wedi dod mas.

Hwrê!

Oes drwm ar Caroline Street
i gadw'r bît gyda'r beirdd?
Oes traed ar hyd City Road
yn dod mewn esgidiau heirdd
i ddawnsio mewn tango tynn
i Lyn y Rhath gyda'r glêr?
Oes naid yn yr Aes yn awr?
Oes gwawr ym Mountstuart Square?

Down i'r Boulevard de Nantes,
i Bont y Castell a'r Bae,
a'n lliw hyd y strydoedd llwyd
a gwyd Syr Dafydd o'i gae;
draig goch uwch yr *Old Arcade*
a hed gan ein harwain ni'n
ein dawns, am fod ein Caerdydd
yn rhydd fel ei Chymru hi.

Cywydd y lowt o latai

Dyn lled wan a llwyd ei wedd,
miniog a diamynedd
a dwfn iawn wyf, di-fwynhau,
hogyn dinas gwên-denau.
Ofnaf na fedraf, yn fyr,
fod yn nŷt am fyd natur.

Un bore heulog boring
yn y wlad wrth gerdded ling-
di-long mi glywais gân dlos
aderyn yn dweud "A-ros."

Mae yna feirdd mwy na fi
(a hŷn) sydd wedi honni
clywed adar yn siarad
a lol o'r fath yn y wlad
(y teip o fardd twp a fynn
mai 'deffro' y mae dyffryn,
bôrs di-dduw sy'n byw a bod
i foli rhyw drychfilod,
gweld y GWIR mewn gwlad a gwellt,
eirlysiau, neu ryw laswellt,
yn hoffi dweud "daffodil",
â hynny reit anghynnil);
a dyma fi, dim o fardd,
gŵr deddfol, dwys Gaerdyddfardd,
yn clywed siarad adar
yn bell o dafarn a bar.

"Aros," ebe'r aderyn,
"Nid wyt, ar dy ben dy hun,
mi wn, yn gallu cael merch
i lawenydd rhyw lannerch.
Wyt ti'n glwc ac anlwcus?
yn grinc heb olchi dy grys?"

(Huotled â Charles Atlas
ei lith ar y gangen las)

"Tro at asiantaeth llatai'r
adar mwy lliwgar a llai
na thi, yr hen horwth hyll.
Wyt ti mewn pryder tywyll
am nad wyt â menyw deg
i'w chwennych (ac ychwaneg
winc-winc)? Ji-binc i byncio
rown i ti? neu dderyn to?
robin i ganu rybish?
(*Bi-ling we'll sing....as you wish:*
Rŷn ni'n llu *super*-pluog).
Mae ein telerau di-log
yn fargen. Newydd 'leni
titw a chwcw i chi.
Mae nico'n costio pum cant,
dau nico'n costio nawcant!
Canpunt off, sbesial offyr!
Base nico'n siwtio syr?
Na? Reit, wel deryn rhatach
i'r bardd. Beth am y dryw bach?
a'i ddyri'n[1] ddigri' neu ddwys
ugain ceiniog, yn cynnwys
bron popeth, a threth ar werth,
ynfyd o fargen anferth.

Ni yw'r adar P.R., ai,
a wyt ti eisiau llatai?"

"Nadw, cer. Wiw i dderyn
geisio bod yn feddyg sbún.

---

[1]Crapair yn golygu 'cerdd'. Mae o'n cynganeddu'n hawdd efo 'aderyn' ac yn
odli efo lot o bethau. Buasai cywydd am adar yn noeth hebddo. Mae 'edn' yn
un arall.

Ella 'mod i'n hyll, a mae,
rhywsut, mi wn, fawr eisiau
golchi'r chwys o 'nghrys a rhaid
i'm botymau bob tamaid
eto gael eu gwnïo 'nôl.
Dwi'n boen. Dwi'n annibynnol."

"Rwyt ti'n hyll ac rwyt ti'n hen
ac unig, llawn o gynnen,
y Cymro di-lwc, amrwd,
y pwrs" (dderyn cwrs) "y cwd."

Gollyngodd reg a neges
fach wen ar fy mhen. Mi es.

A dyna sut rwy'n *downie* sur
nad yw'n nŷt am fyd natur.

Status Quo

Hawdd i feirdd cawraidd o faint
yw swnian am loes henaint,
mwydro am beidio â bod
a'i deud-hi'u bod nhw'n datod,
a gwneud rhyw ddatganiadau
nad yw neb yn mynd yn iau.

Nid oes pilsen rhag henaint;
dyna ni; nid ydyw'n haint
ond agwedd, stad o feddwl
nad yw'n gorfod bod yn bŵl;
oes moddion dod ohono?
twt, oes, cwrs o Status Quo.

Dewiniaid crysau denim
â'u dawn heb heneiddio dim,
y bythol sionc bendoncwyr,
cyndeidiau ar dannau dur
y gitâr yn fyddarol,
a'u rac-a-rac, roc a rôl.

....Maen nhw'n hen – maen nhw'n mwynhau
yn wyllt, er colli'u gwalltiau;
ŷnt deidiau'n awr; ŷnt adar;
hogiau bach blŵs deuddeg bar.
'Sdim mwy gobeithiol na stŵr
taranu gitâr henwr.

P'oni Wenwch?

(Yn sgîl sefydlu'r Cynulliad Cenedlaethol, am fod hawl gan feirdd, wedi saith canrif o alarnadu, i ryw ychydig fisoedd o ddathlu)

Mae'r gwynt a'r glaw wedi peidio,
mae'r sêr wedi neidio'n ôl,
mae Ab Yr Ynad wedi cael sioc:-
trôdd galar yn *rock 'n' roll.*

Mae'r holl ddyniadon fu'n ynfyd
i gyd wedi troi yn gall;
mae'r tir a'r môr yn ôl yn eu lle
yn lle bod y naill yn lle'r llall.

O'r diwedd stopiodd y deri
â pheri twrw, mae'n ffaith
fod pendefigaeth marwnadu blin
ar ben, a'r werin ar waith.

Marwnad galar

Mae galar wedi marw.
bu bloedd a halibalŵ
a llond trol o orfoledd
ei bod wedi mynd i'r bedd.

Mae'r beirdd drwy Gymru ar ben,
a diwedd mud i'w hawen
nawr fod galar 'di marw.

Mi ddaw'n ei hôl, medden nhw.

Gofyn Byrger

Eneth lân mewn capan coch,
os wyt mor agos-atoch,
mor hynaws ag mae'r haenen
minlliw sy'n winliw o wên
hyd dy fin yn dweud dy fod,
gwertha, a phaid â'm gwrthod,
homer o fyrger i fardd,
golygfa gig i lwgfardd.

Nid dwy em dy lygaid di
yw'r ddwy em beraidd imi,
ond dwy fwy'n llawn nwy neon,
dwy **M** loyw hyd ymyl lôn,
y ddwy sy'n adwy yn awr
i'r gwynfyd briwgig enfawr.

Mae'r cynhwysion fel tonig,
er bychan canran y cig:
mae ugain o gemegau
tri dyblyg 'n y briwgig brau,
gwaddod, ychwanegyddion
silwair amheus, sawl hormôn.

Eneth hardd, y mae'r bardd bach
yn bosto am gig bustach,
yn ffafrio bîff efo'r beirdd,
efo'r geirfawr fyrgyrfeirdd...

Cig hiraeth oedd i Ceiriog,
tra sglaffiai, fe ganai'r gog
yn ei ben, a'i awen o
mewn islais saim yn sislo.

Blodeuai awen Gwenallt
os câi hansh o flas cig hallt;

rhoes i Grwys ei sigarèts,
ceiniogwerth o McNuggets
a'i gasgliad o ddilladach
am fyrger o'r Border Bach.

Dewisai I.D. Hooson
gael hanner byrger mewn byn.
(Byn fach oedd gan Eben Fardd,
caledfyn oedd gan Clwydfardd.)

Bron i Syr John Morris Jones
ddrysu yn nyddiau'r rasions
nes iddo ffeirio (am ffi)
sborions â Williams Parry.

Roedd Elfed rhy barchedig
i arddel y cythrel cig
yn gyhoeddus, ond gwyddom,
yn drist yn ei got fawr drom,
iddo geisio cig y wêr,
bargen mewn *British Burger*.

Nico, pan ddaeth eto'n ôl
welodd yr oll-gynhaliol
Cynan dew'n cael cinio da
'Macdonalds Macedonia.

…Am hynny'n awr fy meinwen,
â'th finlliw'n winliw o wên,
rho ar hast mewn bocs plastig
ddwy haenen o'r gacen gig
a rhyw dwtsh o bupur du
a chaws sydd wedi chwysu,
na chwardd, a lapia'r barddfwyd
mewn byn fara lipa lwyd.

"Hei, *far out,* ti isio *fries?"*
(O oslef bêr felyslais!)
"Wyt ti'n clywed, dwêd, dadi?"
(Rhyw hen fardd truan wyf i.)
"Yli, cwd, jyst, jyst hwda.
Have a nice day, love. Nos da!"

Colin Jackson

Canu'n groch a stecen grai
yw arwriaeth i rywrai:
rhuo a phwnio'r awyr,
ymfoddhau mewn dyrnau dur.

Ond nid swagar pob arwr;
mae gwên swil, mae egni siŵr
i'w cael yn osgo Colin.
Gwylia hwn yn plygu glîn,
a chodi fel llecheden
neu garw balch, cyn gwyro'i ben,
rhoi llam ar frasgam ar frys
yn siriol o ddansierus.

A Chymro diamod yw,
rhedwr dros Gymru ydyw;
ei wên a'i hwyl yw ein her,
ei naid yw'n hunan-hyder,
a'i ddistadledd bonheddig
sy'n curo brolio i'r brig.

Neil Jenkins

Mi all y gwynt ym Mhwll Gwaun
chwerwi, ond pan fo'r chwarae'n
dwym, pan fo'r mwd yn dew,
yn bwdin, a'r cae'n bydew
a bod yn nobl yn broblem,
nid rhu'r gwynt sy'n troi y gêm,
ond dawn bachgen talentfawr:
ym Mhwll Gwaun mae lle i gawr.

Cawr solat, agos-atoch,
gwylliad y cwm â'r gwallt coch,
cawr swil sy'n concro sylwedd
cewri Llanelli a Nedd.
Cywir ei gic ar y gôl
o'i droed union, drydanol.
Mae'n dŵr pan fo'r gêm yn dynn,
y cawr sionc, y cawr Siencyn.

"I Sat in My Chair by the Sea"

Bu'n law yn Abertawe
trwy'r dydd, ac yn wynt o'r de,
yn ubain i'n hwynebau
o Ben y Mwmbwls drwy'r Bae.

Ac ar fin y Marina
dall wyt ti, mewn dillad ha'
heb deimlo gwefr gwynt Chwefror:
a mud heb gadwynau'r môr.

Y Farchnad

Gyda'r haul fe gwyd yr yen
a'r ddoler; hardd yw heulwen
plasau cyfrin y ddinas
lle mae chwys a bresus bras
broceriaid llwybrau'r cerrynt
yn prynu a gwerthu gwynt.

Hyd y weiar mae'r arian
yn mynd, mynd, mynd i bob man,
o gylch y rhwydwaith yn gwau
yn gerrynt o ffigurau,
yna dod yn ôl o'i daith
yn elw i'r sgrîn eilwaith.

Ond rhaglenwyd rhagluniaeth
bywydau'n y côdau caeth:
yn eu dawns mae'r machlud oer
a'r nos a'r daran iasoer
a'r gwynt sgarlat diatal
yn chwip drwy ffenestri chwâl.

Molawd Gwleidyddion Ffrainc

Mi'r ydw i'n hoff
o wleidyddion Ffrainc
â'u trwynau main,
a'u siwtiau Dior,
eu gwragedd goludog
mewn fflatiau crand,
a'u meistresau miniog
ar lan y môr.

Cwrtais, gosgeiddig,
dros eu gwinoedd;
disgybledig
wrth gynnig gwên,
yn ffraeth a huawdl,
yn llyfn a llednais,
heb siarad Saesneg
efo neb.

Gyrrant eu plant
i'r un ysgolion
lle bu eu tadau
am fod ganddyn nhw'r hawl
i'w magu'n Ffrancwyr
goleuedig
heb siarad Brezhoneg
heb siarad Euskadi
heb siarad Català
efo'r un diawl.

Biarritz

I Biarritz ben bore'r af – i fyw
yno'n Fasg tra medraf;
oherwydd, mi synhwyraf,
yn Biarritz mae hi'n braf.

I Gyfarch Ray Gravelle

I gawr o Fynydd-y-garreg daw clod,
ceidwad cledd a thacteg,
y cawr o wlad glo carreg
a chawr taer dros chwarae teg.

Anogaeth i Ysmygwyr

*(Englyn dydd Calan i annog ysmygwyr myglys i ail-ystyried eu
harfer a'u buchedd ac i addunedu i hepgor y cyfryw blanhigyn yn
y flwyddyn sydd i ddod)*

Y mae rhai am awyr iach - ac felly,
gyfeillion cyfeddach,
rhowch heibio'r baco am 'bach
a mwynhewch: y mae'n iachach.

Cynllwynio Dyfodol y Genedl

Mi rydw i'n rhyw fudur gofio cael ffrae
efo rhywun y'i galwn o'n Alun Siôn (er nad dyna'i enw iawn, ond
    fel 'na mae).
Dwi'n cofio'n bod ni'n dau'n credu yn nyfodol y chwyldro,
yntau drwy'r bom, a minnau drwy'r beiro.
I mi, barddoniaeth
oedd sylfaen athroniaeth
Cymru rydd -
Ond roedd o'n credu 'mod i'n un o'r heddlu cudd.

Fo, hunan-apwyntiedig *Chief of Staff*
ei fyddin rhyddid; byddai hynny'n laff
oni bai ei fod o'n credu o ddifri'
nad oedd ystyried wardeiniaid traffig yn rhan o'r *occupation forces*
    ac felly'n *legitimate targets* yn fater digri'.

Dwi'n cofio wedi sawl peint deud 'mod i 'di 'laru
ar ei glywed yn ceisio byddaru
pawb yn y lle â'i frolio,
a nad o'wn i ddim yn ei goelio
am ei hanes yn mynd ar manwfyrs,
byddai grŵp o wragedd llnau efo hwfyrs
â gwell siawns o stopio
Y *Brit Imperialist Gestapo*.

Erbyn hyn mae wedi newid ei enw 'nôl i Allan John,
gan hybu'r chwyldro drwy werthu swfenîrs newydd sbon
i ymwelwyr haf - *cover* dwfn iawn.
Ac ambell i b'nawn
dwi'n dal i smalio
'mod i'n un o feirdd y chwyldro
nad yw ar y teledu, gyfaill,
nac ar y radio.

Kywydd Kilt Kŵl Kymru [1]

Ro'wn i'n mynd drwy'r Westyrn Mêl
yn daeog ac yn dawel,
darllen â phen yn llawn ffydd
neon y Gymru newydd,
yn gaib a chyfan gwbwl
gredu fod Cymru'n cŵl,
pan welais lun dyn â dwy
goes odiaeth o gosadwy
mewn ciltwisg smart, mewn tartan.
Crafais 'mhen, a darllen dan
y llun y geiriau llanw
'r wy'n awr am eu rhannu nhw:
"The males in New Wales will wear
trouser-and-jacket dresswear
no more! See the New Welsh man
bearing a cool-celt sporran
(That man on the Titanic
used one to cover his dick),
catatonian tartan too."

Yn gul fy nghoesau gwelw,
myfyriwn am oferedd
di-nod fy mod cyn fy medd:
a minnau'n storm o hormons
sut y jawl cawn Zeta Jones
a'i denu i'm caru? Cilt!
Mawlgan i'r Western Mêlgilt!
Titanic! Catatonia!
Rhaid im, os o'wn Gymro da,
gael un o'r rhain. Gwelwn res
o genod hynod gynnes
glandeg yn rhedeg ar ôl
fi'r cenau llwfr canol

---

[1]Mae'r cywydd hwn, yn ogystal â bod yn ddi-chwaeth ac yn gelwyddog, hefyd
yn wallus.

oed, fel y gallont godi
fy ni-lodre odre i.

Es i'r siop, gwario popeth,
herio pawb a gwisgo'r peth.
Tynnes, fel yn y Mesons,
ar frys fy nhrowsus a 'nhrôns,
a chamu'n falch mewn i far,
dangos fy nghoesau dengar,
i ddwy hyfryd, yn ddifraw'n
gilt i gyd, yn Gelt go iawn.

"Ych a pych" ebychient, "pwy
ydyw'r hen ŵr ofnadwy
a di-chwaeth?"
                "Trendi a chŵl
ydwyf," ceisiais ddywedyd;
ond, am boets, ni ddôi dim byd
o 'ngheg ond Saesneg, fel Sais.
Fel hyn yr ymgyflwynais:

"I'm a Celt, and my culture
is found in my sporran's fur."

"Sglyfath!"

        "Cym' fath!"

                "Yr hen fôr!"

"Sgotyn, ti isio 'sgutor?"

Methiant fu'r cilt a'i antur.
Yn swil, siomedig a sur,
es at ryw seiciatrydd
a dweud am hanes y dydd.

Rhennais fy ngwefr, a rhannu
y fawr rwystredigaeth fu.
Wedi rhannu, pendronodd
y shrinc, a'i neges a rôdd:

"So weak is your drive for sex;
ampler is your kilt complex."

"Not complex. Sex," ddwedais i,
"without trwsus is easy."

Cyn cau ceg, dyma bregeth
i bawb am chwi wyddoch beth.

Ai cenedl yr eiconau
yw'r hon rŷm ni'n ei mawrhau?

Mor hurt fydd Cymru ei hun
heb yr iaith yn ei brethyn.
Mor rhad yw ein Cymru rydd
a'i chŵl yw ei chywilydd,
a'i heip yn ein llundainhau
yn Saeson heb drwsusau.

Eric, fy Mharot

Y mae Eric, fy mharot,
yn dlws, ond mae'n siarad lot.
Pryd bynnag bydd o'n agor
ei big, mae o'n blincyn bôr;
honedig arbenigwr
am bob dim, o bibau dŵr
i Hamlet. Pob dim cymhleth,
y lot, gŵyr Parot bob peth.

Y mae Eric yn licio
sŵn ei lais annynol o;
yn ddi-feth bydd ganddo *farn*.

Nid af ag ef i'r dafarn.

A 'na pam o'n i'n y pŷb
(y *Chariot and Cherub*)
yn estyn peint bach distaw
o'i far hir, pan gefais fraw
wrth glywed o'r teledu
eiriau taer fy mharot hy':

"Rwy'n sefyll i'r Cynulliad
yn glust i adar ein gwlad.
'Se Cynulliad heb adar
yn lle gwan a lot llai gwâr."

Eric fu'n dirgel gelu
rhyw Dony Blair dan ei blu!

Gyda hwn, roedd gwdihŵ
a'i thw-itian, a thitw,
a gwennol ar ganol gyrr
o lyfis y Blaid Lafur
(hynny yw, Llafur Newydd),

adar iach y farchnad rydd
yn canu gyda'r Kinnocks.

Agor ei big ar y bocs
unwaith, a dod yn enwog
(yn Gymraeg, y mae y rôg
mwyaf yn gallu trafod
fel mwnc unrhyw bwnc sy'n bod).
Roedd Sulwyn a'i hentshmyn o
a Huw Edwards yn heidio
i holi'r un amryliw
a slic fu'n dangos ei liw.

Ond, nis (O! wae) dewiswyd.
Yn gudd yn eu llofftydd llwyd
hen sosialwyr Sisilaidd
eu bryd oedd ddrwgdybus, braidd,
o drydar rhyw adar od
("Mae hyn yn waeth na menwod!")
a doedd neb am enwebu
o blaid y lliwgar ei blu.

Un slic yw Eric. Cyn hir
ei lun ddaeth eto i lenwi'r
papurau a'r sgriniau, 'i sgrech
las oedd y cwbwl glywsech:

"Af i Fôn a safaf i
yn aderyn o Dori;
yn ddewr dros egwyddorion
adar mawr, a gwladwyr Môn.
Nid arian ydi Ewro
heb wên ar ei wyneb o:
cain wên hardd y Cwîn ei hun
addurned pob aur ddernyn!"

Bu sgandal a threialon,
a, rhywfodd, methodd ym Môn.

(Mae sôn bod *rhai* dynion da
ym mhydredd Gwlad y Medra'.)

Cyn hir daeth Eric yn ôl
yn hŷn ac yn wahanol:
swil ei big, isel ei ben,
heb lewych ar 'run bluen.
Am sbel. Yna dychwelodd
at ei reddf. Un bore trodd
ata'i, ac meddai i mi:
" 'Wi eisie bod yn Nashi.
Newid plu yw newid plaid;
newid enw, nid enaid:
Mae pob Tori'n Nashi nawr
o'i hanfod. Mae job enfawr
i wneud pob un blaid yn un,
i'w harwain gan aderyn:
Pleidwyr, Ceidwadwyr yn dod,
uno rownd baner undod;
Rhyddfrydwyr, Llafur, pob lliw
yn yr haul yn amryliw,
yn neis-neis, yn gynhwysol,
a heb gred mewn bygar-ôl."

I Gyfarch Twm

Mwy diogel
nag ymhél â'r môr
yw bwrw angor,
mewn cynebryngau,
a bwrw bai
am ffawd ein tai a'n tir,
yn wep hir
ac yn glamp o eiriau
chwerw dros ein cwrw coch,
yn cwyno'n groch
a'n talcenni'n grychau.

Drwy'r nos yn aros
yn y dafarn oer
yn llyncu poer
am fod llanc perig
yn sibrwd "crap"
o dan ei gap, â'i gân
yn hawdd a choman,
a'i ddychymyg
wrth fynd o drol i drol am dro'n
lluniau mawrion
yn llawn Amerig.

Methu dallt
nad yw mythau del
na rheffynnau'r
hen orffennol
nac enw
na iaith gynnil
na mydrau dwys
yn medru dal...

Canwn glod am fod ein tir yn fyw
amryw yw natur Cymru:
yn y Coetsiws, nid yw'r drws yn drwm:
geiriau Twm yw'r goriad tŷ.

Y Gelli

Fe ddaeth hi'n Wanwyn (fel y daw'n flynyddol),
yn dymor mwyn y gog a'r ŵyl lenyddol.
Daw syrcas Llundain a'i hawduron glew
drwy'r ffiniau papur atom i gynnal siew.
Bydd adlais eu gwarineb hyd y cymoedd
yn peri parch at iaith a llên a'u grymoedd;
o'r newydd caiff Llenyddiaeth yn ein gwlad
deyrnasu a meddiannu ei hystad,
a chymryd eto at ei chyfrifoldeb
o lanw'r bwlch fu'n sgîl ei habsenoldeb;
caiff caeau hesb-ers-blwyddyn eu ffrwythloni
wrth i'r Pexmyn, Grîrs a Braggiaid gronni.
Bydd siarad mawr am 'monographs' a mydrau
a thincial chwerthin am yn ail â gwydrau,
a'r holl atgofion wedi'u lapio'n saff
mewn *Sunday Times* a *Daily Telegraph.*

Ond pan fydd caeau gwag yn llenwi'r Gelli
bydd rhywbeth bach yn digwydd yn Llanelli.

Mai 2000

A once in a lifetime never to be repeated cywydd in English following a chance meeting with the late Mr Allen Ginsberg

We talked poetic tactics:
of form, of the way we fix,
in Welsh, the truculent words
in crazy little crosswords
and wrap them in jagged rhyme,
our hectic bardic ragtime.

We talked, reserved, untactile;
one fleeting, cementing smile,
one brief arc, into darkness
now gone. Strange now, I guess,
that you wrote in your notebook
two words "cow with", and then took
a breath, through lips that were bright
as only in the sunlight
lips can be that see and sing.
And once had sung like dancing
in love and, fearful, heavy,
told tales of mortality.

Os Mudandod...

Os mudandod, feistri, yw ein tynged,
Pa gysur, felly, yw eich gair i ni?
Pa werth i ni gribinio manion (rhynged,
feistri, eich bodd) eich darpariaethau chi?
Bodlonwyd ni am i chi chwythu'n wlyb
gusanau bach eich dim-cweit-addewidion
gan oglais hunan-barch (neu hunan-dyb)
ein cenedligrwydd caib, a ni'n gofidio'n
arw rhag eich siomi gan ffyrniced
lledneisrwydd llwfr eich llywodraethu bach,
egwyddorion dwrn mewn maneg griced,
moesoldeb lladron mewn acenion crach,
a chithau fel nyni yn Gymry glân.
Pa ryfedd, feistri, fod y tir ar dân?